Igor

Rindert Kromhout

Igor

beer in nood

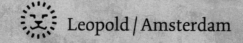

Leopold / Amsterdam

De Nederlandse
Kinderjury
2008

AVI 8

Copyright © Rindert Kromhout 2007
Omslagillustraties Martijn van der Linden
Omslagontwerp Marjo Starink
Foto Berenbos Stichting Alertis
NUR 283 / ISBN 978 90 258 5083 8

Inhoud

1

Het bos

Een ijskoude druppel viel op Igors snuit. Meteen was hij klaarwakker. Hij wreef met zijn voorpoot over zijn neus en knipperde onwennig met zijn ogen.

Naast hem lag Wadja te slapen, opgerold, met zijn snoet tussen zijn poten. Mama was nergens te zien.

Igor krabde zich en liep schommelend naar de uitgang van het hol. De wereld buiten was koud en wit, alle herfstkleuren waren verdwenen. Het witte was sneeuw, wist hij. Toen de eerste vlokken vielen – hoelang geleden was dat? – had mama Wadja en hem het hol ingedreven en sindsdien waren ze niet meer buiten geweest.

Igors ogen en neus, vooral zijn neus, zochten de omgeving af. *Waar was mama?*

Op een hoge tak zat een ekster te schreeuwen. Een eekhoorn rende van boom naar boom, groef woest in de sneeuw en trippelde weer verder. Smeltende sneeuw viel van de takken. Geen mama.

Ineens voelde Igor een duw tegen zijn billen. Hij tuimelde naar buiten. Koud! De sneeuw was koud. En nat.

Nat was niet erg, nat was fijn. Igor had dorst, na al die maanden zonder eten of drinken. Hij snuffelde aan een holle boomstronk, die een drinkbak was als het had geregend, en likte aan de sneeuw die erin lag.

Koud was niet fijn, koud was waarom beren in de winter opgerold tegen elkaar aan gedrukt lagen, diep in hun hol.

Igor had niet al die tijd geslapen, het was meer soezen geweest wat hij had gedaan: half in slaap, half wakker. Dromerig nadenken over alles wat hij in zijn eerste zomer had geleerd. Hij moest het allemaal goed onthouden, dat was belangrijk voor later. Igor wist niet waarom hij dat wist, maar hij wíst het. Mama zou niet zijn hele leven bij hem blijven, ook dat wist hij zonder dat het hem was verteld.

Gesnuif achter Igor. Wadja. Hij holde door de sneeuw. Uitdagend botste hij tegen zijn broer aan, maar Igor wilde niet spelen, want hij moest nodig poepen. De hele winter in het hol had hij niet gepoept of geplast en nu hij buiten was, kreeg hij ineens kramp in zijn buik. Hij hurkte neer en liet zijn drollen vallen.

Zijn plas hield hij op. Hij moest niet zomaar ergens plassen, maar eerst een plek kiezen waar geen andere beren mochten komen. Als hij daar plaste, zouden ze ruiken dat hij er was geweest en uit de buurt blijven.

Behalve mama en Wadja had Igor weinig andere beren gezien. Eén keer, in de zomer van het vorige jaar, was er een grote manbeer op hem af gekomen. Mama had Igor en Wadja een boom in gestuurd, zoals ze altijd deed als er onraad was, en de manbeer verjaagd.

Mama joeg niet vaak andere dieren weg. De meeste waren klciner dan zij en bleven vanzelf uit de buurt. Heel kleine dieren, zoals muizen en vissen, werden door haar gevangen en opgegeten. En als zij ze zelf niet opat, kregen Igor en Wadja ze.

Ah, daar was mama. Ze stond rechtop tegen een eik en rukte een stuk van de schors los. Gretig likte ze aan de stam.

Igor en Wadja holden naar haar toe. Ook zij wilden aan de stam likken; het zoete sap achter de schors zou hun honger stillen. Mama duwde hen weg.

Igor probeerde het opnieuw. Hij piepte. Honger.

Mama snoof kwaad, haar haren stonden recht overeind. *Een waarschuwing.*

Uitkijken! wist Igor. Als hij het nog een keer probeerde, zou hij een klap krijgen. Hij liep naar een berk, een eindje verderop, en zette zijn tanden in de schors. Taai.

Wadja greep de dunne stam van een jonge boom en schudde die heen en weer. Het was een zwarte els. Stuifmeel uit de katjes dwarrelde neer. Wadja nieste en rende weg.

Wadja was de jongste. Hij was een paar uur later geboren dan Igor, in de winter van het vorige jaar – achter in het hol, waar kou en sneeuw niet konden komen. Ze hadden dicht tegen mama aan gelegen, haar melk gedronken als ze honger hadden, en geslapen, vooral veel geslapen.

Pas toen het al zomer was, hadden ze voor het eerst het hol verlaten. Ze wilden niet, Igor en Wadja, ze bleven liever binnen, waar het veilig en vertrouwd was. Maar mama had hen naar buiten geduwd, de grote, onbekende wereld in.

Het hol lag tussen de wortels van een grote beuk, in een dichtbegroeid bos. In het warme seizoen was de bodem bedekt met varens en zaten de struiken vol smakelijke bloemknoppen, waar Igor graag aan knabbelde. In de herfst at hij vruchten. Sommige struiken, al waren hun takken zwaar van de bessen, liet hij met rust. Die bessen waren niet goed voor een beer. Igor wist al veel van opeten en afblijven – hij had dat geleerd in het eerste jaar van zijn leven.

Nu waren er nog geen knoppen of vruchten. De struiken waren kaal, de nog opgerolde bladeren van de varens kwamen maar net boven de sneeuw uit. Langs een beekje stonden kleine gele bloemen.

Igor groef in de koude grond naar knollen. Die waren er het hele jaar door, en hij wist waar hij moest graven. Wadja likte aan mama's buik. Hij wilde drinken. Mama snauwde hem weg. Geen melk meer, die tijd was voorbij. Schommelend liep ze door de sneeuw, een spoor van poot-afdrukken achterlatend. Igor en Wadja volgden haar.

Aan de rand van een open plek tussen de bomen ging mama rechtop staan. Ze snoof, ze piepte. Toen begon ze te rennen. Ze had iets ontdekt. De twee jonge beren holden achter haar aan.

In het kreupelhout lag een dood hert, bedekt met sneeuw en takjes en dorre bladeren.

Mama veegde wat sneeuw weg en besnuffelde het hert. Ze beet de buik van het dode beest open en zette haar tanden gulzig in het vlees. Hongerig nam ze een paar happen.

Een specht roffelde met zijn snavel op de stam van een den. Niet alleen de beren waren op zoek naar voedsel.

Ook Igor beet in het hert. Het vlees was koud en rook naar niks, alsof de winter erin was gekropen. Het was ook taai – lastig om een stukje los te trekken. Voedzaam was het wel; al na drie happen hield het gerommel in Igors buik op.

Igor kon tot drie tellen, mama had het hem geleerd. *Mama, Igor, Wadja.* Drie. Als iets méér dan drie was, begon hij opnieuw. *Mama, Igor, Wadja.* Drie beren, drie bomen, drie happen. Of twee keer drie happen. Méér dan drie keer drie was voor Igor te veel om te tellen, dan was het gewoon *veel.*

Hij scheurde nog een stukje vlees los en schrokte het op.

Wadja piepte, maar mama keek niet naar hem. Ze was niet van plan hem te helpen. Toen probeerde Wadja een stuk vlees van Igor af te pakken, maar Igor had hem door. Hij grauwde, nam het vlees in zijn bek en rende weg. Wadja moest zelf maar een stuk van het hert afbijten, Igor was zijn moeder niet!

Een merel, die op een lage tak van een beuk zat, zong. *Wegwezen, hier woon ik!*

Een andere merel beantwoordde het lied. *En dit is mijn terrein! Haal het niet in je hoofd hier te komen, behalve als je een vrouwtje bent. Vrouwtjes zijn welkom.*

Met een snavel vol insecten verdween een koolmees in een boomholte. De lente was nu echt begonnen.

Mama was een riviertje in gestapt. Vanaf de kant, waar platte stenen lagen en gras in bloei stond, keken Igor en Wadja toe.

Diep was het riviertje niet, het snelstromende water

kwam nog niet eens tot mama's buik. Plonzend liep ze erdoorheen, haar kop gebogen alsof ze naar iets zocht dat op de bodem lag. Een school karpers zwom voorbij.

Plotseling sloeg mama met haar voorpoot op het water. Een vis vloog als een vogel door de lucht en belandde op een steen langs de oever.

Igor holde eropaf. Hij zette een poot op het spartelende beest, precies zoals mama altijd deed als ze een vis ging eten. Glinsterende schubben, lekker vlees. De schubben waren niet lekker, de graten ook niet, die spuugde hij uit.

Een tweede karper vloog door de lucht. Mama keek hem niet na, ze was al op zoek naar de volgende.

Nu kwam ook Wadja erbij. Hij snuffelde aan de tweede vis, die in het natte gras in doodsnood lag te spartelen. Geschrokken deed Wadja een stap opzij. Eng!

Wadja vond veel dingen eng.

Igor niet, Igor was dapper.

Mama kwam het water uit. Weer een klap met haar poot en Wadja's vis was dood. Aarzelend rook Wadja aan het dode beest, maar hij at er niet van.

Mama gromde. Veel geduld had ze niet meer met Wadja. Ze dreef hem en Igor de rivier in.

Igor wist wat hem nu te doen stond. Hij moest nadoen wat mama had gedaan, vissen uit het water slaan om ze op te eten. Zo ging het altijd, dat wist hij nog van de vorige zomer. Mama deed iets voor en Igor en Wadja moesten het nadoen. Opletten, nadoen, onthouden – voor altijd goed onthouden.

Igor sloeg naar een vis, maar die was hem te snel af. Hij zwom weg naar waar het water vandaan kwam. Igor probeerde het nog een keer. Weer mis.

Ook Wadja was nu in de rivier, maar niet om een vis te vangen. Hij wilde met Igor spelen.

Ja! dacht Igor. Spelen! Daar had hij zin in. Meteen vergat hij de karpers.

Igor en Wadja hadden veel gespeeld in hun eerste zomer. Rollen door het gras. Plonzen in een ondiep beekje. Stoeien op een open plek in het bos, als de zon tussen de bladeren door scheen. Door mama achterna gezeten worden en dan vliegensvlug een boom in klimmen.

Het bomenklimmen was in het begin een fijn spel geweest. Mama gromde, snoof, blies, en Igor en Wadja klauterden zo snel ze konden omhoog. Meestal was Igor de snelste. Pas later had hij begrepen hoe handig het was in bomen te kunnen klimmen, zoals toen met die manbeer.

Nu dolden ze door het water, ze omhelsden elkaar met hun voorpoten en Wadja beet in Igors oren. Steeds gingen ze kopje onder. Dan kwamen ze proestend weer boven en stoeiden verder.

Mama ging op een warme steen aan de oever liggen en deed haar ogen dicht. De les van vandaag was afgelopen.

Het werd zomer. Jonge vogels, net uit het nest, hipten van tak naar tak en bekeken nieuwsgierig de grote wereld vol voedsel en gevaren. Twee kleine vossen volgden hun vader in hun eerste jachtpartij. Overal tsjirpten krekels.

Igor en Wadja scharrelden rond tussen de bomen. Mama zat op een rots in de zon en keek niet naar hen om. Vroeger was ze zorgzaam, en nooit verloor ze haar kinderen uit het oog. Tegenwoordig was dat anders. Steeds vaker stuurde mama Igor en Wadja weg als ze om eten kwamen vragen. Steeds minder vaak likte ze hen over hun oren of mochten ze speels in haar poten bijten. Dan grauwde en snauwde ze als ze bij haar wilden komen zitten. En als ze niet snel genoeg wilden luisteren, werden ze gebeten. Niet hard, maar hard genoeg om te weten dat het menens was. *Wegwezen!* Dan ging mama haar eigen gang; ze at of dronk of sliep, en Igor en Wadja moesten uit haar buurt blijven. Pas als het donker werd en ze hun slaapplek opzochten, werd ze weer vriendelijk en voelde Igor dat zijn moeder nog steeds van hem hield.

Eén keer was Igor bang dat mama voor altijd bij hem wegging. Dat was toen er op een hete, winderige zomerdag voor de tweede keer in Igors leven een enorme beer op zijn pad kwam.

Igor was een verlaten merelnest aan het inspecteren. Er klonk een luid gesnuif. Hij keek de kant van het geluid uit. Tussen twee beuken stond een onbekende beer op zijn achterpoten. Hij was veel groter dan mama. Waar hij vandaan kwam wist Igor niet, hij was er ineens, akelig dichtbij, en brulde vervaarlijk. Konijnen renden weg, een Vlaamse gaai begon vanaf een hoge tak uitdagend te schreeuwen, en het leek of de wind ophield met waaien. Weer brulde de beer. Zijn kreet klonk machtig.

Igor, diep onder de indruk van het reusachtige beest, liet het merelnest voor wat het was en klom gauw een boom in. Wadja volgde hem. Nooit eerder had Igor zo'n grote beer gezien. Wat was hij dichtbij! Mama moest hem wegjagen. Meteen!

Maar mama, die in de struiken aan het rondscharrelen was, joeg de beer niet weg. Eerst ging ze op haar kont zitten, om hem nieuwsgierig te bekijken, toen hobbelde ze kalmpjes naar hem toe. De beer brulde niet opnieuw, maar liet zich op zijn vier poten zakken en begon mama te besnuffelen. Mama vond het goed! Ook zij snuffelde, alsof er helemaal geen gevaar was.

Kijk uit, mama! Igor piepte.

Mama hoorde hem niet.

Schommelend verdween de grote beer in het struikgewas en mama liep achter hem aan, als een bedelend berenjong achter zijn moeder.

Igor wist niet wat hij zag! Wat ging mama doen? Waarom ging ze met die beer mee, waarom had ze hem niet weggejaagd? Bij vreemde beren moest je uit de buurt blijven, *altijd*, zo had Igor het immers geleerd.

Igor staarde naar de struiken, maar mama kwam niet terug.

Een hele tijd bleven Igor en Wadja op hun veilige tak zitten, maar nog steeds kwam mama niet terug.

Toen hield Igor het niet langer vol, hij kreeg kramp in zijn poten. Langzaam liet hij, en liet ook Wadja, zich uit de boom zakken. Dicht bij de stam bleef hij zitten, klaar om er snel weer in te klimmen als het nodig was.

Wadja krabde zich en geeuwde. Hij liep naar de rivier en

boog zich voorover om te drinken. Igor niet, hij was te onrustig om zijn dorst te lessen. Hij wilde niet dat mama wegbleef.

Toen de zon al bijna onderging was mama nog altijd weg. Igor had geweten dat eens het moment zou komen dat ze weg zou gaan. Op een dag zouden Wadja en hij voor zichzelf moeten zorgen – zijn leven lang wist hij dat al. Maar hij had niet gedacht dat die dag nu al was gekomen.

Vogels zochten hun slaapplaatsen op, de eerste vleermuizen scheerden tussen de bomen door. Igor stond op en begon doelloos in de aarde te graven. Wadja had het verlaten merelnest te pakken gekregen en was dat knorrend van plezier uit elkaar aan het trekken. Een rat scharrelde rond in het hoge gras.

In de struiken klonk geritsel. Igor keek op.

Mama! Daar was mama weer! Haar kop stak uit het gebladerte, met glanzende ogen keek ze naar Igor. De grote beer was er niet bij.

Igor piepte. Blij holde hij op mama af. Ze was tóch teruggekomen!

Mama kwam uit de struiken tevoorschijn, maar draaide meteen haar kont naar Igor toe en verdween geeuwend het hol in. Gauw ging Igor achter haar aan. Wadja ook. Mama bromde vriendelijk en rolde zich toen op om te gaan slapen.

Mama was terug, maar hoelang zou het nog duren voordat ze echt voor altijd wegging? Zouden ze de komende winter nog bij elkaar zijn?

Igor wist dat hij zich zou weten te redden als mama weg was. Hij had al zoveel geleerd. Hij wist hoe hij knollen moest opgraven of een mierennest openbreken. Ook zonder mama's hulp had hij genoeg te eten en wist hij bij welke dieren of planten hij vandaan moest blijven.

Mama deed of er niets was gebeurd. Ze ging door met haar lessen. Als er vis gevangen moest worden, ging ze zelf het water niet in maar keek vanaf de kant toe hoe Igor en Wadja het er afbrachten. En als ze bessen van een struik at, liet ze niets over. Haar kinderen zochten het maar uit. Zo ging dat nu eenmaal. Igor en Wadja waren geen jonge welpen meer, ze werden grote beren, al waren ze nog niet half zo groot als mama.

Toen hij op een dag in het verdorrende, geel geworden gras langs de rivier zat, bekeek Igor zijn poten. Ze waren flink gegroeid in de afgelopen maanden. Lange, slungelige poten waren het nu, eigenlijk te lang voor zijn kleine, gedrongen lijf. Hij struikelde regelmatig over zijn eigen voeten. En als hij dan weer eens plat op zijn buik was gevallen, sprong Wadja speels boven op hem.

Wadja. Ook hij zou niet bij Igor blijven. Igor vóélde dat de dag eraan kwam waarop ze alle drie hun eigen weg zouden gaan...

Een lichte herfstregen viel neer op het bos. Het waaide zacht. Bruinrode bladeren dwarrelden omlaag.

Wadja lag in een bed varens en at een muis die hij zelf had gevangen. Hij hield het beestje tussen zijn poten geklemd en knabbelde eraan. Igor deed een grote plas en rolde erdoorheen. Daarna schurkte hij zijn natte vacht aan een boomstam. Mooi, die boom rook naar hem. *Van mij!* Mama keek goedkeurend toe.

Plotseling ging mama op haar achterpoten staan. Ze snoof en knarste met haar tanden. Haar oren lagen plat tegen haar kop.

Er was iets aan de hand, wist Igor meteen. Wat was er? Gevaar? Een vreemd dier dat hun gebied was binnengedrongen? Ook Igor ging rechtop staan. Hij zoog de lucht zijn neus in.

Geen beer, geen wolven, geen wilde zwijnen die je pijn konden doen met hun slagtanden; het was een geur die hij niet kende.

Voor onbekende geuren moest je oppassen. Als iets onbekend was, ging je het uit de weg totdat je zeker wist dat er niets te vrezen was. Pas dan ging je er voorzichtig, heel voorzichtig, op af.

Wadja zwaaide onrustig met zijn kop, ook hij begreep dat er iets niet in orde was. De muis lag half opgegeten tussen de varens.

Een hard geluid, en nog een keer datzelfde harde geluid – het leek op onweer, maar dan heel kort. Geen gerommel zoals wanneer de bliksem boven het bos tekeerging; twee luide knallen en daarna niets meer.

Mama brulde. Nog steeds stond ze op haar achterpoten, maar nu maaide ze wild met haar voorpoten in de lucht, alsof ze een bijennest in een boom aan het openbreken was. Hoe wilder een beer met zijn poten maaide, hoe kleiner de kans was dat de bijen in zijn neus staken. En de zoete honing droop zijn bek in...

Nu was er geen honing, maar angst. Igor en Wadja renden naar mama toe.

Mama wankelde. Ze viel plat op haar zij, een wolk bladeren stoof op. Bloed stroomde uit haar hals. Haar vacht was rood en nat en warm. Ze brulde, ze piepte, haar klauw groef woest in het mos, en toen bleef ze stil liggen. Regen drupte op haar neer.

Mama?

Igor begreep het niet. Waarom was mama zo stil? Waarom bloedde ze? Ze was niet gebeten, er was geen gevecht geweest.

Wadja klom boven op haar en beet in haar oor. Mama werd niet wakker.

Igor drukte zijn snuit tegen de hare, maar mama likte hem niet, zoals ze anders altijd wel deed.

Mama?

Er klonk geblaf. Gevlekte dieren die op wolven leken verschenen tussen de bomen. Het waren er meer dan Igor kon tellen, en daarachter liepen vreemde, dunne dieren op hun achterpoten. Rare klanken kwamen uit hun bek. Hun vacht had verschillende kleuren, groen en bruin en grijs. De gevlekte wolven gromden met ontblote tanden, en blaften woest.

Ineens wist Igor wat hij moest doen: vluchten. Er zonder mama vandoor gaan.

Wadja!

Wadja zat met wijdopen ogen naar de vreemde dieren te staren, belangstellend snuivend en met zijn kop scheef, zoals hij altijd deed als hij iets nieuwsgierig bekeek.

Igor gaf hem een duw. *Meekomen!* Wadja piepte, maar bleef zitten. De gevlekte wolven waren nu akelig dichtbij. Weer gaf Igor zijn broertje een duw. *Opschieten.*

Eindelijk snapte Wadja het. Ze begonnen te rennen, over gras en tussen struiken door. Ook de wolven renden.

Een boom! Hoog in een boom zouden ze veilig zijn. Maar tussen de dichtstbijzijnde boom en de twee beren in stonden nu de gevlekte wolven. Ze gromden dreigend, hun lippen opgetrokken. Igor en Wadja konden geen kant op.

Ook de dieren die op hun achterpoten liepen, kwamen dichterbij. Weer die rare klanken.

Igor blies, hij grauwde, gooide zijn oren plat in zijn nek; al zijn haren stonden overeind. Het maakte geen indruk. De indringers vormden een kring om Igor en Wadja heen, zoals jagers hun prooi omsingelen.

Er werd iets over Igor heen gegooid, een vacht vol gaten en draden – het leek op een reusachtig spinnenweb, al was het niet kleverig, maar stug als een berenpels aan het eind van de zomer. Igor probeerde de vacht van zich af te slaan, maar zijn klauwen raakten verstrikt in de draden. Hij snoof, hij knarste met zijn tanden, schudde met zijn kop en maaide met zijn poten, maar het hielp hem niets – de draden waren niet kapot te krijgen, hij zat hopeloos vast.

Hij hijgde. Vanuit zijn ooghoek zag hij mama liggen. Zij zou weten wat hij nu moest doen. Maar ze keek niet naar hem, al waren haar ogen wijdopen. Roerloos lag ze op het bed van gevallen bladeren.

Toen, plotseling, werd er een vacht zónder gaten over Igor heen gegooid, een zware, dikke vacht die precies zo rook als de dunne dieren – en van het ene moment op het andere was alles donker.

2

Tarararam! Tarararam!

Toen Igor wakker werd, lag hij plat op zijn zij in een vreemd hol. Hij knipperde met zijn ogen en probeerde zijn kop op te tillen. Het ging niet, hij voelde zich te slap.

Er was iets met zijn neus. Waarom leek die ineens zo groot en zwaar?

Hij zuchtte diep en keek om zich heen. *Waar was hij?*

Waar was Wadja? Waar was mama?

Het hol waarin Igor lag was klein. De grond was koud en hard – niet van zand. Om het hol, dat geen wanden of ingang had maar aan alle kanten open was, waren rechte takken in de grond gestoken. Ze reikten van bodem naar dak.

Er waren hier geen bomen of struiken, geen vertrouwde geuren. Geen vogels, of eekhoorns die van boom naar boom trippelden, geen riviertje vol glinsterende vissen. Buiten het hol was de wereld grauw en leeg en omringd door hoog opgestapelde rode stenen: ook een soort hol, maar veel groter dan een berenhol.

Hij kreunde. Zijn bek was droog, hij had dorst.

Met moeite lukte het hem zijn kop een heel klein stukje op te tillen. *Au!!!* Een scherpe pijn schoot door zijn neus, alsof hij werd gestoken door een zwerm bijen.

Nu voelde Igor wat er aan de hand was. Er zat iets in zijn neus, een ding dat zwaar was. Hij proefde bloed.

Met zijn voorpoot probeerde hij het vreemde ding weg

te slaan. Het ging niet, het zat vast. Het was rond als het vlieggat van een specht in een boomstam.

Igor liet zijn kop weer op de bodem rusten en dacht na. Wat was er met hem gebeurd sinds de dunne dieren in het bos waren verschenen? Hij herinnerde zich de dikke vacht die over hem heen was gegooid. En daarna? Hij had geworsteld om los te komen, maar de dunne dieren hadden de vacht strak getrokken, zodat Igor nauwelijks adem kon halen. Hij werd opgetild en weggedragen, voelde klauwen aan alle kanten van zijn lijf, hoorde geluiden die hij niet kende, voelde gebons en getril, proefde stof dat uit de vacht in zijn keel kroop.

Toen, veel later, werd de dikke vacht van zijn lijf getrokken. Zijn kop werd ruw beetgepakt, een stoot tegen zijn neus, nog een stoot, een brandende pijn, alsof zijn neus van zijn kop werd geslagen...

Van wat er daarna was gebeurd tot aan nu wist hij niets meer. Hij moest in slaap zijn gevallen.

Pijn...

Hij verlangde naar mama. Ze moest hem likken, dan zou de pijn overgaan. Zo ging het altijd, vroeger, in zijn eigen bos...

Waar hadden ze hem heen gebracht?

Igor geeuwde. Hij was moe, en misselijk...

Er klonken geluiden. Igor deed zijn rechteroog open en keek. Bij het hol stonden twee dunne dieren op hun achterpoten. Een kleine zon, schuin boven het hol, brandde fel. Igor kneep zijn ogen samen.

Met een tak werd hij in zijn zij geprikt. *Au!* Geschrokken

sprong hij op. Weer een pijnsteek in zijn neus. Hij stootte zijn kop tegen het plafond van het hol. Het was te laag om rechtop te kunnen staan. Igor ging zitten en keek angstig naar de dunne dieren. Hun geur deed hem denken aan wat er in het bos was gebeurd, aan mama, aan de vacht waarin ze hem hadden gevangen. Blazend en knarsetandend keek hij naar ze.

Een van de dunne dieren schoof een ronde bak het hol in. Het andere sloeg met een tak tegen de ring. Igor brulde het uit.

De dunne dieren bromden tegen elkaar, met diepe keelgeluiden, daarna verdwenen ze door een gat in de opgestapelde rode stenen. Ook de felle zon was ineens weg.

Als hij zijn kop heel langzaam en voorzichtig bewoog, als een reiger die in de rivier op vis loert, deed de ring in zijn neus hem minder pijn. Traag begon hij het hol te verkennen. Hij snuffelde aan de bodem, aan de rechtopstaande takken, aan het plafond, maar hij kon de geur ervan niet thuisbrengen.

Twee stappen vooruit, twee stappen achteruit – meer ruimte was er niet in dit hol.

Igor beet in een van de takken – ze moesten stuk, hij wilde weg. De takken waren niet van boom, maar hard en koud als de grond onder zijn voeten. Geen hout, geen steen, maar wat het wel was? Nooit eerder had hij takken gezien die zo glad en recht waren. Wáren het wel takken? Stukbijten lukte niet. Hij probeerde het niet nog een keer.

De ronde bak die in een hoek van het hol stond was gevuld met melk en zachte brokken. Igor stak zijn snuit erin – dat voelde lekker koel aan zijn pijnlijke neus. Hij lebberde van de melk. De zachte brokken smaakten zoet – zijn maag was tevreden.

Met de zijkant van zijn kop duwde hij tegen de harde takken. Ze gingen nog steeds niet stuk.

Igor kermde. Van de zenuwen moest hij plassen. *Een beer plast nooit in zijn hol, want dat moet schoon blijven.* Maar Igor kon het niet ophouden. Een dikke straal viel kletterend op de bodem. Zonder nadenken ging Igor op zijn rug liggen om door de plas te rollen. Toen bedacht hij dat hier geen bomen waren om zijn geur op achter te laten.

Hij ging op zijn kont zitten en zuchtte diep. Wanneer kon hij terug naar zijn bos?

Ineens was de zon er weer. In het gat in de rode stenen verscheen een dun dier dat op Igor afkwam, een ander dan dat van daarstraks.

Igor bewoog zich niet en spitste zijn oren.

Een kop met lange, lichte haren. De vacht was blauw en geel. Dit dunne dier was kleiner dan de anderen. Een vrouwtje, vermoedde hij. Of een jong. Ze was ongeveer zo groot als Igor zelf als hij rechtop stond.

Op gevouwen achterpoten kwam ze bij het hol zitten. Igor gromde en schoof naar achteren.

Zachte klanken kwamen uit haar bek. Ze rook zoet. Igor hield van zoet. Gevaar rook nooit zoet. Honing wel. Hij ontspande zich en bekeek het dunne dier nieuwsgierig.

Voorzichtig stak ze een poot tussen de takken door. Igor wachtte af, klaar om hard te bijten als het nodig was. Ze streek over zijn snuit. Igor gromde niet meer, hij jankte –

zoals hij tegen mama deed als hij pijn had. Dan likte mama hem en verdween de pijn.

Langhaar likte hem ook, met iets wat ze in haar poot had. Een soort grijze tong die nat en koel was. Ze wreef ermee over zijn gezwollen neus. Dat was prettig. Igor kreunde.

Langzaam schoof Langhaar de bak met melk naar hem toe. Igor nam een paar slokken. Toen hij weer opkeek was Langhaar weg...

De tijd ging voorbij. Aan het gat in de rode stenen kon Igor zien of het dag of nacht was. Overdag viel er wat zonlicht naar binnen, niet veel, maar genoeg om te weten dat het geen nacht was. Als er dunne dieren naar hem kwamen kijken, was de kleine felle zon er ook ineens. Verdwenen de dunne dieren, dan ging ook die zon weg.

Igor verbaasde zich daarover. Mama had hem geleerd dat er maar één zon bestond. Ze had zich vergist. Er waren er minstens twee: de grote zon die door het gat in de rode stenen scheen en de kleine schuin boven het hol.

De wond genas – zijn neus deed alleen nog pijn als de ring ergens tegenaan stootte of als hij er met zijn poot tegen sloeg. Hij raakte eraan gewend en bewoog zich behoedzaam door het hol.

Van tijd tot tijd werd er een bak met melk en brokken

neergezet, waar Igor hongerig uit at en dronk. Maar soms duurde het lang voordat hij nieuwe melk kreeg. Dan had hij niets te eten of te drinken. Ander voedsel dan melk en brokken kreeg hij nooit. Geen honing, geen vruchten, geen muizen of knollen of vissen; alleen melk en brokken. Hij vulde er zijn maag mee en toch voelde hij zich steeds zwakker. Alleen melk en brokken waren niet genoeg voor een jonge beer. Hij wilde bessen en vlees. Zijn vacht werd dof, zijn ogen jeukten alsof er stuifmeel in was gewaaid.

Hoelang moest hij hier nog blijven? Waarom was hij alleen?

De enige andere dieren die Igor te zien kreeg, waren de dunne dieren. Ze leken op elkaar: hun houding, de manier waarop ze zich bewogen. Nooit raakten ze elkaar aan of besnuffelden ze elkaar. Met klanken die uit hun bek kwamen maakten ze elkaar duidelijk wat hun bedoelingen waren. Wat dat betreft leken ze op vogels.

Het waren, naast hun geur, vooral de haren op hun kop waaraan hij ze herkende.

Langhaar betekende troost.

Krulhaar betekende pijn en angst, want steeds weer sloeg hij met een gladde tak tegen de neusring.

Geenhaar betekende een bak met melk en brokken en poep die werd opgeruimd. Troost bracht Geenhaar niet, want hij gromde en grauwde als een moederbeer die genoeg heeft van het gebedel van haar welpen.

Het was een kleine wereld waarin Igor terecht was gekomen, een wereld waarin hij niet thuishoorde...

Door het gat in de stenen woei een koude wind het hol in. Het was winter, de tijd waarin beren in het bos hun winterrust hielden. Igor sliep een groot deel van de dag, maar werd af en toe gewekt door Krulhaar die bij hem kwam kijken. Als Igor dan sliep, prikte Krulhaar hem met een scherpe tak, zodat hij geschrokken opsprong. Of Geenhaar kwam, om grauwend en snauwend de bak te vullen en poep op te ruimen. En telkens ging die kleine felle zon aan en uit, aan en uit...

Zo verstreek de tijd. Hoevéél tijd wist Igor niet, maar het was lang, heel lang...

De koude wind werd warmer, de winter liep op zijn eind. De lucht van nieuw leven waaide naar binnen. Igor voelde kriebels in zijn poten en snuit. Hij wilde eruit. Hij wilde lopen, rennen, ravotten, in een boom klimmen, spelen met Wadja, een bijennest openbreken.

Maar dat kon hier allemaal niet. Twee stappen vooruit, twee stappen achteruit, telkens opnieuw. Dat was alles. Igor kermde, piepte, jankte, en krabde onrustig over de harde bodem. Zijn huid jeukte, hij was aan het verharen, net zoals in de vorige lente. Hij schuurde zijn vacht aan de takken om het hol, maar ze waren te glad, er bleven geen haren op achter.

De kleine zon ging aan. Een groepje dunne dieren verscheen in het gat in de rode stenen. Igor keek op. Langhaar?

Nee, Langhaar was er niet bij. Krulhaar wel, en achter hem liepen er twee die Igor niet eerder had gezien.

Ze kwamen naar het hol toe. Een wand van takken werd opzij geschoven – *het hol ging open!* – en daardoor was er plotseling een gat naar de vrijheid. Igor wilde naar voren springen, maar de weg naar buiten werd meteen versperd. Krulhaar en de anderen, een Bruinhaar en een Zwarthaar, kwamen het hol in. Drie dunne dieren naast elkaar, te veel om langs te kunnen glippen. Wat kwamen ze doen?

Igor snoof hun geur op, en wat hij rook beviel hem niet. Hij rook onraad en spanning, vooral spanning. Hij sperde zijn ogen wijd open en drukte zijn oren plat tegen zijn kop.

De dunne dieren stapten over een drol heen en schopten tegen de lege melkbak. Weer werd Igor ruw met een tak in zijn zij en buik gepord; angstig deed hij een stap naar achteren, hij knarsetandde. *Blijf uit mijn buurt.*

De drie dunne dieren trokken zich er niks van aan; heftig met hun voorpoten bewegend, alsof ze reusachtige mieren waren, dreven ze Igor in een hoek.

Igor hield niet van snel bewegende dieren.

Altijd voorzichtig zijn met grote, vlugge beesten.

Hij drukte zijn rug tegen de rechtopstaande takken en ademde diep in door zijn neus. Weer die geur van spanning, alsof de dunne dieren zich zelf ook niet op hun gemak voelden.

Toen, ineens, grepen ze hem bij zijn voorpoten. Ze sleurden hem overeind en op hetzelfde moment werd er iets om zijn bek gebonden. Het ging zo snel als wanneer een beer een vis uit het water slaat – te snel om te kunnen ontkomen. Igor wilde bijten, maar kreeg zijn bek niet meer open. Zijn kaken zaten op elkaar geklemd.

Krulhaar sloeg tegen de ring in zijn neus. *Au!* Igor kermde. Tevreden brommend bond Krulhaar iets aan de ring. Een dikke draad van kleine ringen, zag Igor. Krulhaar trok eraan. *Ai!* Dat deed nog veel meer pijn. Igor wilde zich lostrekken, maar opnieuw gaf Krulhaar een ruk aan de draad.

De pijn schoot door Igors hele kop, hij voelde het tot in zijn kiezen. Snel deed hij een stap naar voren. De dikke draad verslapte, de pijn werd minder. Nog een stap naar voren dan maar, dichter naar Krulhaar toe. Ah, kijk eens aan, Krulhaar was nu ineens heel dichtbij en Bruinhaar en Zwarthaar stonden áchter hem. Igor snoof en zag zijn kans. Hij ging Krulhaar doodslaan als een konijn in het bos.

AU!!! Er werd hard met een tak op zijn kop geslagen. Geschrokken bleef hij staan.

Waarom deden ze dit? Waar waren ze op uit?

De dunne dieren keken naar hem. Sterker dan ooit rook Igor de geur van spanning.

Wat nu? Hij durfde niet nog een keer een stap naar voren te doen, wilde niet weer worden geslagen. Hij durfde ook geen stap naar achteren te doen, de dikke draad mocht niet meer aan de ring in zijn neus trekken. Roerloos stond hij daar en wachtte tot ze hem opnieuw pijn zouden doen.

Maar er kwam geen pijn meer. Het ding om zijn bek

werd losgetrokken en zonder zelfs maar om te kijken naar Igor verdwenen de dunne dieren het hol uit.

Nog diezelfde dag kwam Krulhaar terug. Hij droeg een harige, grijze vacht, tot ver over zijn poten.

Het hol ging open, Krulhaar boog zich voorover en trok aan de dikke draad. Igor kermde.

Krulhaar trok harder. De ring schuurde aan Igors neus. Gauw deed de beer een paar stappen naar voren. Hij piepte, maar Krulhaar trok weer, een korte, hevige ruk. Zo dwong hij Igor naar buiten te komen.

Igor wilde niet. Hij wilde het hol wel uit, er was niets dat hij liever wilde, maar niet als Krulhaar in de buurt was. Krulhaar was de vijand. Met hem wilde Igor niet mee. Hij zette zich schrap, zoals Wadja toen mama hem voor het eerst een boom in joeg en Wadja tegensputterde omdat hij het eng vond.

Maar na alweer een ruk aan de draad –AU!!!- gaf Igor zijn verzet op. Willoos werd hij meegevoerd, zijn hol uit, achter Krulhaar aan, bijna struikelend omdat het snel ging.

Via het grote hol en het gat in de muur liepen ze door een smalle tunnel, waar het rook naar stof en droge poep, en daarna gingen ze een derde hol in. Het was er kil. Er was geen dak boven en de wanden waren gemaakt van hoog opgestapelde grijze stenen.

Twee keer drie dunne dieren wachtten Igor hier op; hij herkende Bruinhaar en Zwarthaar. Allemaal hadden ze een tak in hun poten en zodra ze hem zagen, gromden ze.

Igors pijnlijke neusgaten trokken samen. Hij rook weer

angst en spanning bij de dunne dieren. Of waren het zijn eigen angst en spanning waarvan hij de geur opving? Nee, het waren de dunne dieren. Bewegingloos en zacht grommend stonden ze daar, met de takken als dreigende poten op hem gericht.

Krulhaar trok hem verder mee, de kring van dunne dieren in, naar een platte, zwarte... steen? Nee, het was geen steen die daar op de grond lag. Igor wist niet wat het wel was, maar het deed hem denken aan de bodem van zijn hol: hard en koud. Weer een paar korte rukken aan de draad, net zolang tot Igor boven op het zwarte ding was gaan staan.

Argwanend besnuffelde hij het ding. Het rook naar kou en dunne dieren en naar... Igor snuffelde nog eens... heel in de verte rook het ding naar beer... alsof er lang geleden een beer op had geplast.

Daar stond hij dan. Wat nu?

Bruinhaar begon met twee korte takken op een grote voerbak te slaan. Het klonk als het geroffel van een spechtensnavel tegen een boomstam, maar dan langzamer. *Tarararam! Tarararam!*

Igor spitste zijn oren en hield zijn kop scheef om beter te kunnen luisteren.

De andere dunne dieren keken toe.

Tarararam! Tarararam!

Het werd warm onder Igors voeten, het werd heet onder zijn voeten, gloeiend heet. *Waar kwam die hitte ineens vandaan?* Igor wilde van het zwarte ding springen, maar kreeg harde klappen met takken en bleef waar hij was, zijn poten de een na de ander optillend omdat het zo heet was.

Tarararam! Tarararam!

Igor ging rechtop staan, om zijn voorpoten tegen de hitte te beschermen. Met zijn achterpoten begon hij te trappelen, want de gloeiendhete bodem brandde aan zijn voetzolen.

Tarararam! Tarararam!

Het geroffel klonk sneller en Igor trappelde sneller, want de hitte was nu onverdraaglijk. Hij wilde zó graag wegrennen, weg van het zwarte ding en de dunne dieren. Maar Krulhaar rukte aan de dikke draad, de pijn schoot weer door Igors kop, en de anderen sloegen hem met de takken. Hij kon niet weg, kon niets anders doen dan springen, razendsnel springen op zijn arme achterpoten. Hij brulde het uit, maaide wild en doodsbang met zijn voorpoten; hij was in paniek, hij wilde slaan, vernietigend toeslaan, zoals mama het hem had geleerd als er een vijand was. Woest was hij om wat ze hem aandeden! Maar de dunne dieren bleven op veilige afstand, met de takken en de aan de ring gebonden dikke draad als wapens...

Tarararam! Tarararam!

En Igor sprong. Spróng!

En toen ineens... was het stil. Het geroffel was opgehouden. Ruw trok Krulhaar Igor van het zwarte ding. Meteen zakte de beer door zijn poten.

Uitgeput en te verbijsterd om te kunnen protesteren, werd hij teruggebracht naar zijn hol. De wand met takken werd teruggeschoven, de kleine zon ging uit en Igor was weer alleen.

Hij ging op zijn zij liggen en trok zijn poten in. Kreunend likte hij zijn voetzolen. Ze waren opgezwollen.

Hij rolde zich op en verstopte zijn snuit tussen zijn poten. Hij wilde slapen, hij wilde... hij wist niet precies wat hij wilde... alleen dat die pijn zou verdwijnen... En Krulhaar, ja, Krulhaar en de andere dunne dieren moesten ook verdwijnen. En dit hol. En de felle zon. En de bak met melk en brokken. Alles moest verdwijnen, voor altijd verdwijnen... Meer dan ooit verlangde Igor naar huis.

Mama! Wadja!

Een koel gevoel aan zijn voetzolen. Zachte klanken. Langhaar was terug. Ze zat naast het hol en likte Igor met de grijze tong.

Voorzichtig schoof ze de melkbak naar hem toe. Igor tilde vermoeid zijn kop op. Met zijn lippen, die droog aanvoelden als de schors van een dode boom, slobberde hij de laatste druppels melk op. Het was te weinig om zijn dorst te lessen, maar dat gaf niet, want Langhaar was er. Hij drukte zijn snuit tegen haar voorpoot. Langhaar kroelde hem door zijn vacht en aaide zijn neus. Igor schoof wat dichter naar haar toe.

Die verkoelende grijze tong...

En toen ging ook Langhaar weg. Igor probeerde haar na te kijken, maar het was te donker om iets te kunnen zien.

Tot diep in de nacht lag hij wakker. Het geroffel -*tarararam! tarararam!*- klonk nog heel lang na in zijn kop...

Het was nog niet voorbij, o nee, het was nog niet voorbij. Dag na dag kwam Krulhaar Igor halen en werd de beer meegevoerd.

Tarararam! Tarararam!

Gloeiende hitte onder zijn voeten, trappelen op zijn achterpoten om aan de pijn te ontsnappen.

Telkens opnieuw kwam eerst het geroffel en kort daarna de hitte. Telkens opnieuw, dag na dag...

Net als vroeger in het bos was Igor ook nu een snelle leerling. Binnen een paar dagen had hij door hoe het zat. Het geroffel van Bruinhaar betekende áltijd dat het heet onder zijn voeten zou worden, zoals geroffel in de lucht aan een zware regenbui voorafging. Dan moest hij snel een schuilplaats zoeken. Met die herinnering in zijn kop begon hij, zodra hij het geroffel hoorde, meteen te springen op zijn achterpoten, zelfs al was het zwarte ding nog niet te heet om op te staan. Hij wilde de pijn vóór zijn.

Als Krulhaar hem kwam halen, sputterde hij nauwelijks nog tegen. Dat had geen zin, gehoorzaam meelopen was beter. Geen geruk aan de ring in zijn neus, geen klappen met de dikke takken. Hij had zijn les geleerd, de hardste en pijnlijkste les van zijn leven.

Maar nog altijd kon hij niet begrijpen waaróm dit gebeurde.

Wat wilden ze toch?

En er ging geen avond voorbij of Langhaar kwam naar zijn hol om hem te strelen en te troosten. Lieve Langhaar...

's Nachts werd hij met rust gelaten. Dan mocht hij slapen zonder dat iemand hem lastigviel. Hij werd steeds banger voor de ochtenden, voor het moment waarop de dunne dieren kwamen en de wand van takken opzijschoven...

Toen kwam de dag waarop zelfs Krulhaar vond dat het genoeg was geweest. Tenminste, daar leek het op, want hij nam Igor mee naar buiten, alweer een nieuwe wereld in.

Frisse lucht, al rook die anders dan in het bos. Igor was opgewonden. Zou alles nu voorbij zijn? Mocht hij weg uit deze verschrikking?

Op dat moment zag hij Bruinhaar, mét de ronde bak en de twee korte takken. Hij kwam naar Krulhaar toe, gromde tegen Igor en liep mee.

Igors blijdschap verdween. Hij tuurde om zich heen, maar het leek wel of hij minder goed kon zien dan anders. Er zat een soort mist in zijn ogen. Door die mist heen zag hij stenen, veel stenen, niet grijs en rond zoals bij de rivier, maar rood en hoekig en opgestapeld, zoals in het grote hol. Ook in deze stenen zaten gaten. Igor kon er niet overheen kijken, de stapels waren te hoog.

Er groeide hier geen gras. Bomen waren er wel, hoge bomen, met stenen om de voet van hun stam in plaats van aarde. Overal liepen dunne dieren. Een kleine, gevlekte wolf tilde een poot op en plaste tegen een stam. Hij kreeg een schop van een dun dier en rende jankend weg.

Vlak bij een oude kastanje die in bloei stond, bleef Krulhaar staan. Igor snoof de zoete geur op.

Krulhaar maakte zich groot en brulde. Het was een lokroep, want méér dan drie keer drie dunne dieren kwamen op hem af, als jonge koolmezen die naar hun moeder fladderen wanneer ze een snavel vol rupsen heeft. Bruinhaar zette de bak voor zich neer en begon er met de takken op te slaan. *Tarararam! Tarararam!*

Dit was waar Igor bang voor was geweest, vanaf het moment dat hij Bruinhaar had gezien. Dat verschrikkelijke geroffel. Zijn poten trilden, zijn voetzolen krompen samen. En Igor sprong, spróng.

Geen pijn! Niet weer die pijn alsjeblieft!

Zwijgend staarden de dunne dieren hem aan.

Igor sprong, blééf springen. Hij kon niet anders, het geroffel dwong hem ertoe. Het leek eindeloos te duren. Igor háátte Krulhaar en Bruinhaar.

Toen, even plotseling als altijd, hield het op. Stilte. Bruinhaar legde de takken op de ronde bak. Vermoeid zette Igor zijn voorpoten op de grond. Die was niet heet.

De dieren die hadden toegekeken sloegen hun voorpoten tegen elkaar. Ze floten als vogels en wierpen glimmende dingen in iets dat Krulhaar voor hun snuit hield. Krulhaar bromde tevreden en gaf Igor een droge witte brok. Daarna trok hij hem weer mee, nog verder bij het hol vandaan, tussen opgestapelde stenen door, naar een plek waar water uit de grond opspoot en kletterend neerviel in een kleine vijver. Ook hier waren weer veel dunne dieren. Bruinhaar was er nog steeds bij en alles begon opnieuw. Krulhaar brulde, de dunne dieren dromden samen en

42

Bruinhaar sloeg met de takken op de bak. *Tarararam! Tararam!*

En Igor sprong en de dunne dieren sloegen hun voorpoten tegen elkaar en wierpen glimmende dingen, en Krulhaar en Bruinhaar liepen verder...

Tarararam! Tarararam!

Later die dag, het einde van een eindeloze dag.

Kreunend lag Igor in zijn hol. Langhaar streelde zijn snuit. Weer likte ze zijn voetzolen met de natte, grijze tong.

De klanken die uit haar bek kwamen, klonken als het knorren van mama als Igor op de zachte bosgrond tegen haar aan gedrukt lag.

Zijn poten deden pijn, zijn voetzolen voelden aan alsof er met puntige stenen in was geprikt.

Langhaar legde een witte brok voor hem neer. De brok smaakte naar honing. Honing! Er zat *honing* op de witte brok! De smaak van thuis! Dankbaar likte Igor Langhaars poot. Tussen de takken door drukte Langhaar haar snuit tegen zijn snuit. Igor beet haar niet, al had dat gemakkelijk gekund.

Langhaar kroelde zijn oren, kriebelde met haar klauwen in zijn vacht, en bleef maar knorren. Igor vergat de dag die achter hem lag...

Meer dagen dan Igor kon tellen gingen voorbij, en elke dag werd hij uit zijn hol gehaald en meegetrokken aan de ring in zijn neus.

Tarararam! Tarararam!

En Igor sprong, bij vijvers, tussen bomen, in de buurt van hoog opgestapelde stenen – telkens op plekken waar veel dunne dieren bij elkaar waren.

Het kostte Igor steeds meer moeite de dingen om hem heen goed te zien. De mist werd dikker. Zijn ogen waren altijd al slecht geweest, al vanaf zijn geboorte; dat was nu eenmaal zo. Daarom ging hij meestal af op wat zijn neus ontdekte. Maar nu leek het erger dan vroeger. Hoe vaak hij ook met zijn ogen knipperde, de mist bleef. De dingen van dichtbij bekijken ging nog wel, maar wat ver weg was verdween meer en meer in een grijze nevel.

Er was maar één dag waarop er geen geroffel klonk. Dat was de dag van de kleine dunne dieren. Het waren er veel, ze waren half zo groot als Krulhaar, zelfs kleiner dan Langhaar, en ze krioelden.

Krulhaar stond naar ze te kijken, terwijl Igor was gaan liggen en angstig naar Bruinhaar loerde. Wanneer zou het geroffel beginnen?

Op de plek waar ze waren, ver van huis, was alleen maar steen. De bodem, groot en plat als het grasveld op de open plek in Igors bos, was van steen. De stenen wanden om het veld waren hoger dan Igor ooit eerder had gezien. Zelfs als hij zijn ogen samenkneep en tuurde, kon hij niet zien waar die wanden ophielden. Er stonden hier geen bomen of struiken of andere planten. Uit de bodem staken hoekige stenen. De kleine dunne dieren klommen op die stenen en sprongen er weer af. Ze renden krijsend als eksters over het veld, botsten tegen elkaar aan, krijsten opnieuw en renden weer verder.

Krulhaar riep iets. De kleine dunne dieren hielden op met krijsen en kwamen naar hem toe. Krulhaar rukte aan de draad en Igor stond op. Nog een ruk en Igor ging op zijn achterpoten staan. Bang deinsden de kleine dunne dieren terug, Igor snoof hun angst op. Maar toen Krulhaar weer iets riep, bleven ze staan.

Krulhaar prikte Igor met een tak, wees op Bruinhaar, grauwde tegen de kleine dunne dieren.

Au! Een steentje was tegen Igors kop gevlogen. Waar kwam dat vandaan? *Ai!* Nog een steentje, klein en hard en pijnlijk. Het had zijn neus geraakt.

Igor kreunde, Krulhaar gromde.

Ineens regende het steentjes. De kleine dunne dieren raapten ze van de bodem en gooiden ze gillend naar Igor. Aan alle kanten werd hij geraakt.

Weer gromde Krulhaar. Woest zwaaide hij met zijn voorpoten, maar ze gingen gewoon door met gooien.

Igor probeerde zich klein te maken. Hij verstopte zijn kop tussen zijn voorpoten, maar het hielp niet. De steentjes bleven komen.

Toen, luid brullend, gooide Bruinhaar de ronde bak en de takken neer en stormde op de kleine dunne dieren af. Schreeuwend gingen ze ervandoor. Ze verdwenen door een gat in een wand. Daarna was het stil.

Krulhaar trok aan de draad en liep met grote stappen weg van het stenen veld. Of Bruinhaar ook meeliep kon

Igor niet zien. Een van de steentjes had zijn oog geraakt. Het oog traande. Krulhaar bracht Igor naar huis.

Als hij 's avonds alleen en moe op de harde bodem van zijn hol lag, probeerde Igor terug te denken aan thuis, aan het bos, aan de geur van mama en Wadja en van zijn eigen, veilige hol – maar het leek zo lang geleden dat hij daar was. Een ander leven. Hoe rook mama ook alweer? En het hol waarin hij was geboren? Hoe voelde de bodem daar? Hij wist het niet meer precies.

In bomen klimmen. Vissen eten die mama had gevangen. Met Wadja stoeien in een veld. Een bijennest openpeuteren. Zou die tijd ooit terugkomen?

Soms kwam Geenhaar 's avonds niet, dan bleef Igors voerbak leeg, ook al had hij nóg zo'n honger en dorst.

Langhaar kwam altijd. Zij liet nooit een dag voorbijgaan. Als ze kwam en de voerbak was leeg, dan vulde ze hem met water. En soms gaf ze Igor witte brokken met honing. Zijn maag kronkelde dan van plezier.

Hij vond het heerlijk als ze hem likte met de grijze tong, of als ze door zijn vacht krauwde en zoete klanken in zijn oor blies.

Dankzij Langhaar hield Igor dit vol, alleen dankzij Langhaar...

Het ongeluk kwam onverwacht. Ze waren buiten, Igor, Krulhaar en Bruinhaar, op weg naar alweer een nieuwe plek. Het was warm. Een zachte zomerwind blies Igor in zijn snuit. Op een steen lag een witte wolf te slapen. Bladeren ritselden, op een boomtak zat een kraai te schreeuwen.

Midden in het pad waarop ze liepen zat een gat in de grond. Igor, knipperend tegen de mist in zijn ogen, zag het niet op tijd. Ineens voelde hij geen bodem meer onder zijn linkerachterpoot, met een schok zakte die diep weg in de holte. Er knakte iets, er krakte iets.

Igor trok zijn poot uit het gat en wilde doorlopen. Maar de linkerachterpoot wilde plotseling niet meer, liet zich alleen nog meeslepen als een gewond prooidier. Het voelde alsof er in die poot was gebeten.

Krulhaar keek ernaar en snauwde iets, sloeg met een korte tak tegen Igors achterpoot. Igor brulde het uit. Hard trok Krulhaar aan de dikke draad. Doorlopen!

Maar Igor kon niet sneller met die weigerende achterpoot. Hij strompelde.

Bruinhaar gaf hem een schop. Toen bleven ze staan. Bruinhaar roffelde met de korte takken op de ronde bak.

Tarararam! Tarararam!

Igor wilde opspringen, maar het ging niet, het ging echt niet, want die ene poot deed nog steeds niet mee.

Het geroffel hield op. Kreunend begon Igor zijn gekwetste, opzwellende poot te likken. Er was geen hitte. Weer kreeg hij klappen. Maar die pijn kon hem niet schelen, hij wilde dat ze hem naar zijn hol brachten.

Het leek alsof Krulhaar dit keer eindelijk begreep wat

Igor verlangde, want hij keerde om en ging terug. Hinkend liep Igor achter hem aan. Bruinhaar ging niet mee.

's Avonds kwam Krulhaar bij hem kijken. Een onbekend dun dier was met hem meegekomen. Die inspecteerde de gekwetste achterpoot, en Igor, slap en uitgeput, liet het toe. Hij was de strijd meer dan moe.

Krulhaar en de onbekende gromden tegen elkaar. Daarna verdwenen ze.

Igor dacht aan Langhaar...

Twee dagen en nachten zat Igor in zijn hol. Al die tijd werd er niet naar hem omgekeken en bleef zijn bak leeg. Geenhaar kwam geen melk en brokken brengen of poep opruimen. Zelfs Langhaar liet zich niet zien.

Waarom kwam Langhaar niet?

Starend naar het gat in de rode stenen lag Igor in zijn hol, twee dagen en nachten lang. *Dorst...*

Toen kwam Krulhaar terug, alleen. Hij schoof de wand van takken opzij, greep de dikke draad en trok Igor mee.

Dorst... Honger had Igor ook, maar de dorst was erger. Zijn bek voelde aan alsof hij kurkdroge aarde had gegeten op een hete zomerdag.

Ze gingen naar buiten en liepen, liepen... Krulhaar op twee poten, Igor op drie, want de ene achterpoot deed nog steeds niet mee. Ze kwamen voorbij bekende en onbekende plekken, maar hielden nergens halt. Krulhaar liep snel, Igor kon hem nauwelijks bijhouden. Dunne dieren sprongen opzij. Krulhaar liep door, steeds vlugger, langs stenen, langs bomen, langs vijvers waar het water uit omhoog spoot. Ze liepen tot de grote zon begon te dalen. Nooit eerder was Igor zo ver bij zijn hol vandaan geweest.

Eindelijk vond Krulhaar dat het genoeg was geweest. Hij stopte. Buiten adem ging Igor zitten. Zijn ene poot lag in een vreemde hoek naast hem, alsof hij niet meer bij Igor hoorde.

Waar waren ze? In een bos? Nee, het was geen bos, maar een groepje bomen met een kale vlakte eromheen. Nergens waren andere dunne dieren te zien. Het was donker aan het worden.

Dorst... Igors bek smeekte om water.

Krulhaar bond de dikke draad om een oude eik, waarvan de stam was gespleten. Even keek hij naar Igor, toen liep hij weg. Igor bleef achter...

Opnieuw ging er veel tijd voorbij. Krulhaar kwam niet terug. Er kwam geen enkel dun dier naar de boom waaraan Igor was vastgebonden.

Hij had schors losgerukt en opgegeten. De stam was nu kaal. Als het 's nachts regende, kon Igor de volgende ochtend water uit plasjes bij de boom drinken. Het grootste deel van de tijd sliep hij. En als hij wakker was, probeerde hij zich los te rukken. Maar de draad was te sterk. Erin bijten had ook geen zin, hij ging niet stuk.

Uiteindelijk gaf Igor het op. Hij ging liggen en zuchtte...

Al dagenlang was het warm en droog geweest. Igor had in de grond gegraven, maar geen water gevonden. De wind blies tegen de boom en er vielen eikels van de takken. Igor at ze op. Drie eikels, meer waren er niet.

Hoog in de boom zat een bijennest, te hoog voor Igor. De bijen zoemden en Igor, die zich zwakker voelde dan ooit en plat op zijn zij was gaan liggen, met zijn ogen dicht, luisterde ernaar. Ergens ver weg blafte een wolf.

Toen hoorde hij andere geluiden. Voetstappen. Igor keek op. Opstaan ging niet, opkijken wel. Drie dunne dieren stonden om hem heen. Igor schrok, maar zag toen dat Krulhaar er niet bij was, en Geenhaar en Bruinhaar ook niet. Dit waren nieuwe dieren en er was iets met hun geur waardoor Igor al snel rustiger werd. Hij rook geen gevaar, geen spanning. Hij rook... ja, heel in de verte rook hij beer. *Beer?* Waren er beren in de buurt? Of kleefde die geur aan de dunne dieren? Igor tilde zijn kop hoog op en snoof diep in. Maar hij kon niet ontdekken waar die berenlucht vandaan kwam.

De dunne dieren hadden gele haren. Hun vachten waren groen en bruin. Ze keken naar hem, kwamen aarzelend dichterbij.

Zachte, sussende klanken, als de klanken van Langhaar, maar dieper. Een aai over zijn vacht. Igor ontspande zich.

Ze streelden hem, streken met hun poten over de ring

in zijn neus, bevoelden zijn gekwetste achterpoot, gaven hem water. Gulzig lebberde Igor het op; daarna ontspande hij zich nog meer.

Maar het veilige gevoel bedroog hem, want ineens kreeg hij een prik in zijn rug. Zie je wel, dunne dieren waren nooit te vertrouwen! Hij probeerde op te springen, gromde vervaarlijk, al trok hij daardoor de draad strak en schoot de pijn weer door zijn neus. Hij knarste met zijn tanden, zijn oren plat, zijn haren recht overeind; hij maaide met zijn voorpoten...

3

Het berenbos

Bos. Igor rook bos. En beren. Hij tilde zijn kop op en snoof. De geur was vertrouwd als de geuren van lang geleden, en toch ook weer niet. *Vreemd bos, vreemde beren.*

Hij geeuwde. Het was een diepe slaap waar hij net uit wakker was geworden. Zijn neus voelde raar aan, alsof er iets ontbrak. Hij betastte hem met zijn voorpoot. De ring was weg. De dikke draad ook.

Waar was hij? Niet in zijn oude hol, al stonden ook hier gladde, rechte takken omheen. Op de bodem lag dor gras. Ook om dit hol lag een groter hol, met wanden van opgestapelde stenen. Door gaten viel licht naar binnen.

Versuft van de slaap probeerde Igor op zijn poten te gaan staan. Hij wankelde. Zijn ene achterpoot wilde nog steeds niet, was slap als een afgebroken bloemstengel. Daarom ging hij maar weer zitten en keek, al snuffelend, om zich heen. Met zijn klauwen wreef hij over zijn ogen. Nog steeds die dikke mist...

Pas toen zag hij de bak met knollen en vruchten die in het dorre gras stond; een grote, volle bak. Ernaast stond een tweede bak, tot de rand gevuld met water.

Knollen! Vruchten! Verlekkerd stak Igor zijn snuit in de bak. Hij klemde een knol tussen zijn poten en nam een hap. Ja! Precies waar hij al heel lang naar had verlangd. Hij at een appel, een wortel, nog een appel.

Méér! dacht hij. Maar er was niet meer...

Duf legde hij zijn kop op zijn voorpoten en staarde voor zich uit. De geur van bos en beer maakte dat hij zich merkwaardig rustig voelde in dit vreemde, nieuwe hol. Maar waar kwamen die geuren vandaan? Hoe zag de wereld eruit achter de gaten in de stenen wanden?

Er klonk gerommel en gestommel. Meteen was Igor op zijn hoede. Een beer? Nee, het waren de drie dunne dieren met de gele haren weer. Zich traag bewegend kwamen ze binnen. Igor bleef liggen, zijn spieren gespannen, en keek wantrouwig naar de Geelharen.

Ze liepen om het hol heen, staken hun poten naar hem uit, bromden vriendelijk. Igor probeerde hun bewegingen te volgen. Ze klakten met hun tong, streken met hun poten over de takken, wierpen vruchten in het hol. Igor keek naar de vruchten, maar at er niet van.

Toen, ineens, weer een prik in zijn rug. Igor was stomverbaasd. De dunne dieren stonden minstens twee keer drie stappen bij hem vandaan. Hoe hadden ze hem kunnen prikken?

Hij grauwde, maar de grauw werd een geeuw, want opnieuw was hij sloom en slaperig. Zijn poten voelden slap, zijn ogen vielen dicht. Hij wilde opstaan, maar het ging niet. Hij wankelde, zakte door zijn poten en viel neer op zijn zij.

De Geelharen kwamen zijn hol in. Igor wilde grommen – *niet zo dichtbij!* – maar had er de kracht niet voor...

Toen hij voor de tweede maal in dit nieuwe hol wakker werd, zag Igor dat de ene bak weer gevuld was met vruchten en knollen. Hij liep erheen, maar het lopen ging nog moeilijker dan eerst. Om zijn zere achterpoot was een dunne witte vacht gewikkeld. De vacht zat strak. Wat hadden ze met hem gedaan?

Toen zag hij het dunne dier dat bij het hol naar hem stond te kijken. Alwéér een nieuw dun dier. Op zijn kop had het stugge, bruine haren – zoals de haren in de vacht van een beer.

Beerhaar, dacht Igor. Hij zoog zijn geur in. Beerhaar rook naar beer. Opnieuw die geur van beren. Er waren hier meer beren dan Igor alleen, hij was er zeker van, maar wáár? Hoe kwam het dat Beerhaar naar beer rook? *Wat waren zijn bedoelingen?*

Argwanend bekeek Igor hem. Beerhaar bewoog zijn lippen, uit zijn bek kwamen zachte, hoge klanken die Igor aan Langhaar deden denken. Was dit ook een vrouwtje?

Ze stak iets tussen de takken van het hol door, een ding met scherpe punten, en veegde poep weg. Igor sloeg er een klauw naar uit, maar omdat Beerhaar sussende geluiden maakte, trok hij zijn poot weer in.

Beerhaar gooide de poep in een hoekige bak en verdween. Igor keek haar na.

Meer dan drie keer drie dagen en nachten bleef Igor in dit hol. Elke dag kwam Beerhaar bij hem kijken. Andere dunne dieren zag hij in die dagen niet. Geen Geelharen die hem kwamen prikken. Geen Krulhaar of Bruinhaar of Zwarthaar, alleen Beerhaar. Ze vulde de bakken met knollen en vruchten en water. Ze veegde poep en natgeworden gras uit zijn hol, gooide er schoon gras in, en steeds weer kwamen er zoemende geluiden uit haar bek, alsof er een hommel om zijn kop vloog, geluiden die hem bijna in slaap susten. Igor raakte aan haar gewend, bang was hij niet meer. Maar waarom rook ze zo sterk naar beer? Wás ze een beer, een soort beer die Igor nooit eerder had gezien? Hij twijfelde. Het zou kunnen, al leek ze op een dun dier. Er bestonden verschillende soorten wolven, had hij gezien, waarom zou dat bij beren niet ook zo zijn?

Met Igors achterpoot ging het steeds beter. Als hij voorzichtig deed, kon hij er zonder pijn op staan. De poot hoorde weer bij hem, al zat nog altijd die strakke witte vacht erom.

Toen kwam de dag waarop alles anders werd.

Beerhaar zat bij het hol en peuterde aan de witte vacht die om Igors achterpoot zat. Igor liet het toe, hij moest wel. Tegensputteren lukte niet, want hij had weer zo'n prik gehad waar hij sloom en slaperig van werd. Beerhaar wikkelde de vacht los en haalde hem weg. Een kille wind streek langs de poot. Igor bekeek hem. Platgedrukte haren, die hij meteen begon te likken.

Beerhaar stond op en riep iets. Een van de Geelharen kwam erbij staan. Door de takken heen betastte hij de poot. Hij keek naar Beerhaar. Ze schoven een wand van takken opzij en verdwenen snel door een gat in de stenen.

Duf stond Igor op. Zijn achterpoot was koud, maar hij kon er gewoon op staan, ook zonder die witte vacht. Verwonderd keek hij naar de weggeschoven takken. Zijn hol was open, hij kon eruit als hij dat wilde. Wat raar. Hij snuffelde aan de opening, spitste zijn oren. Niets vreemds te ruiken of te horen. Waar was Beerhaar gebleven?

Behoedzaam zette hij zijn ene voorpoot buiten het hol, daarna de andere. Alles bleef stil, niets aan de hand. Toch was hij er niet gerust op. Nooit lieten dunne dieren het hol open als ze weggingen. Waarom nu wel?

Er klonk een luid gerommel. Een wand van het grote hol schoof opzij, zonlicht viel naar binnen. Geschrokken trok Igor zich terug in zijn eigen, vertrouwde hol. Een frisse bries verdreef het duffe gevoel uit zijn kop.

Het was weer stil. Igor rook de geur van bos en beesten, sterker dan ooit. Ergens in de verte zong een roodborstje. Een ekster schreeuwde.

Igor tuurde. Vaag, heel vaag zag hij in de verte bomen en struiken. Een bos! Er was daar werkelijk een bos! Igors poten trilden. Het bos trok aan hem alsof het de geur van honing was.

Aarzelend – *altijd op je hoede blijven!* – ging hij op het grote gat af, nog wat onwennig op de genezen achterpoot.

Het bos lonkte, het bos lokte. Igor ging naar buiten.

Wat was er plotseling veel ruimte om hem heen! Geen gladde takken, geen wanden van opgestapelde stenen. Knipperend tegen de mist in zijn ogen bekeek hij zijn omgeving. Geen dor gras meer, maar groene varens en struiken en bomen. Geen dunne dieren, maar vogels en gezoem van insekten. Geen bak om uit te drinken, maar de geur van fris, snelstromend water ergens dichtbij.

Het was te veel ineens... Hij verstijfde. Opeens was hij doodsbang: bang voor al die plotselinge ruimte, bang voor opnieuw pijn in zijn neus, bang voor de komst van Krulhaar of Bruinhaar.

Nerveus begon hij heen en weer te lopen. Twee stappen naar voren, twee stappen naar achteren, alsof hij nog in zijn hol was, en weer twee stappen naar voren, twee stappen naar achteren, telkens opnieuw. Na een poosje werd hij er rustig van. Toen ging hij op zijn kont zitten en zuchtte diep. Een bos, een echt bos.

In het gras tussen de bomen lag een appel. Igor at hem op. Het gras rook naar beer. Er lag een berendrol die kortgeleden was uitgepoept. Meteen spanden al Igors spieren zich weer. *Waar was die beer?*

Er klonk een luid geritsel in de struiken. Een berenkop verscheen boven het gebladerte. Het was een bruine berin, een oude, niet veel groter dan Igor. Haar vacht zag er gehavend uit, alsof ze had gevochten. Nieuwsgierig kwam ze naar hem toe.

Igor maakte zich groot door op zijn achterpoten te gaan staan. Dat zou indruk maken. De berin aarzelde. Ze hield haar kop scheef en piepte zacht, uitnodigend.

Langzaam liet Igor zich weer op zijn voorpoten zakken. De berin kwam naar hem toe en snuffelde aan zijn vacht. Igor gaf haar een natte lik om zijn eigen goede bedoelingen duidelijk te maken. De berin rook naar Beerhaar. Misschien was Beerhaar haar welp.

Vanuit een gat in de grond verscheen een derde beer, een man. Igor was stomverbaasd. Twee beren in hetzelfde gebied? Dat hoorde niet. Iedere beer had zijn eigen terrein, en anderen werden daarvan weggejaagd. Zo was het in het bos waar Igor was opgegroeid. Daarom liet je immers je plas achter op boomstammen.

Hier ging het zeker anders, want de twee onbekende beren holden op elkaar af en begonnen te stoeien. Ze rolden door het zand en renden naar een vijver.

Igor keek toe, en kon niet langer stil blijven staan. Hij wilde ook spelen!

Water spatte hoog op toen hij in de vijver sprong. De vreemde beren spetterden hem nat, duwden hem kopje onder, omhelsden hem. Herinneringen aan lang geleden kwamen boven. Wadja! Mama!

Een dikke vis zwom voorbij. Igor sloeg ernaar. De vis zwom verder. Ook de berin haalde uit. Raak. Gretig at ze de vis op. Igor keek jaloers toe. Hij had trek in vis.

Tijd voor een tweede poging kreeg hij niet, want de jonge beer kwam weer op hem af en sprong hem op zijn rug. Igor proestte. *Geweldig! Vrijheid!*

Moe van het spelen ging Igor op een platte steen liggen, om een dutje te doen in de middagzon. Lekker, zo'n steen, heel wat warmer dan de bodem van zijn hol.

Toen hij wakker werd, was de lucht grijs en motregende het. De andere beren waren nergens te bekennen. Dunne dieren waren er ook niet.

Hij schurkte zich aan een boomstam – een dot haar liet

los – en vervolgde zijn verkenningstocht door het bos. Wat zijn ogen niet konden zien, rook zijn neus.

De regen rook stoffig, alsof het lang droog was geweest. Bladeren van varens glommen, een merelpaar zocht in de aarde naar wormen.

Een appel vloog door de lucht en viel neer in het natte gras. Waggelend liep Igor ernaartoe, maar een grijze wolf was hem voor. Net toen Igor zijn tanden in de appel wilde zetten, griste de wolf hem weg. Haastig verdween hij met zijn buit tussen de bomen. Igor keek hem beteuterd na en nam zich voor de volgende keer sneller toe te happen. Die les van lang geleden was hij nog niet vergeten: wolven lagen altijd op de loer om je prooi af te pakken.

Een tweede appel vloog voorbij. Dit keer hólde Igor erop af. Ha! Hij had hem. Nu had de wolf het nakijken.

Er vlogen nog veel meer vruchten door het bos. Het werd een strijd tussen beer en wolf. Wie was het eerst bij de gevallen vruchten? Igor vond het een spel, een vertrouwd spel waarbij hij eindelijk weer eens tussen bomen door kon draven – precies zoals vroeger, in het bos waar hij was opgegroeid. Zijn achterpoot deed gewoon mee, het stijve gevoel was eruit verdwenen.

Het bos was groot, maar niet eindeloos. Toen Igor een heel eind had gelopen, stuitte hij op een hard, hoog spinnenweb, dat in de grond was geplant alsof het een struik was. Hij kon het niet stukbijten of omver duwen. Hij liep erlangs, maar het spinnenweb hield niet op, het was de grens. Het stond om het bos als een wand van gladde takken om een berenhol. De wereld daarbuiten was niet voor de beren.

Het was inmiddels donker aan het worden. Er kwamen geen dunne dieren om Igor naar zijn hol terug te brengen. Andere beren zag hij niet meer, wolven ook niet.

Hij geeuwde en tuurde om zich heen. Onder een hoge struik was een plek waar geen varens of andere planten groeiden. Het zag eruit als een nest van aarde en dor blad. Igor besnuffelde het nest en besloot hier te gaan liggen. Hij rolde zich op en stak zijn snuit tussen zijn poten. Bladeren ritselden in de wind. Getik van regendruppels klonk overal om hem heen. Igor zuchtte diep...

Ook in de dagen die volgden kwamen de dunne dieren hem niet halen. Hij was er bang voor, was de hele tijd alert en klaar om weg te rennen als ze zouden komen, maar ze kwamen niet. Het begon er steeds meer op te lijken dat de tijd in het kleine hol voorgoed voorbij was.

Igor maakte lange wandelingen door het bos, en zo leerde hij dat goed kennen. Het was er drukker dan in het bos waar hij was opgegroeid. Er waren tweemaal drie bruine beren, drie wolven en nog één, en talloze kleine vogels en knaagdieren zoals muizen en konijnen. In de vijver zwommen vissen van een soort die Igor niet kende.

Geen beer gedroeg zich vijandig en behalve als er eten door de lucht vloog, lieten beren en wolven elkaar met rust. Er was genoeg ruimte voor iedereen.

Igor ontdekte al snel dat in dit bos het voedsel *heel vaak* uit de lucht kwam vallen. Appels, peren, knollen. Ze vlogen langs zijn kop en vielen met een plof in zand of gras, of spatten uit elkaar op een steen. Het was of er ergens een reusachtige boom stond waaruit rijpe vruchten vielen. Nooit lukte het Igor die boom te ontdekken. Hij at op wat voor zijn poten viel en hield steeds nauwlettend in de gaten of er weer iets door de lucht vloog.

En kwam er geen voedsel voorbijvliegen, dan gebeurde het wel eens dat Beerhaar bij het spinnenweb kwam zitten, of een ander dun dier, een Withaar – ook een vrouwtje. Dan floot ze als een vogel en kwam er meteen een beer naar haar toe. Soms Igor, soms een ander; het lag er maar net aan wie het snelst was. De beer die het snelst was kreeg brokken vlees, die door Beerhaar of Withaar door de gaten in het spinnenweb werden gegooid. De anderen kregen niets, omdat ze werden weggesnauwd door de snelste beer.

Vaak hoorde Igor geluiden van nog andere dunne dieren, véél geluiden, maar hij zag ze nooit. Ze waren ver weg en de mist in zijn ogen was te dik om ze te kunnen ontdekken.

Op zijn derde dag in dit nieuwe bos – *mama, Wadja, Igor*, had hij weer geteld – ontdekte hij tussen de wortels van een eik de ingang van een hol. Igor snuffelde eraan. Hij rook geen beer of andere dieren. Weifelend stak hij zijn snuit in het gat. Het hol was duister en leek onbewoond te zijn. Hij deed een plas, *dit hol is van mij*, en ging naar binnen.

De ondergrondse ruimte was twee beren diep en zo breed dat Igor dwars op zijn zij kon gaan liggen. Dat deed hij dan ook. Hij ging liggen en strekte zijn poten uit. De bodem was van zand, droog zand, de wanden van steen. Uit het plafond stak een boomwortel.

Er klonk geritsel. Een muis schoot voor hem langs. Igor maaide er met zijn klauw naar, maar de muis was al weg. Het gaf niet, Igor had geen honger, hij had net knollen en appels gegeten.

Nog een keer snuffelde hij om zich heen. Nee, niemand anders van wie dit hol zou kunnen zijn.

Igor likte zijn poten. Deze plek beviel hem wel, hij had zin om hier een dutje te doen. Knorrend rolde hij zich op. Dit was fijner dan slapen in de open lucht.

Weer geritsel. Vanuit zijn ooghoek zag Igor dat de muis terug was. *Lekkere, dikke, bruine veldmuis.* Razendsnel sloeg hij toe. Dit keer was het raak. De muis smaakte goed. Wie weet waren er nog meer. Fijn, zo'n nieuw hol waar het voedsel kwam aanwandelen.

Ja, Igor had het goed. Langzaamaan vergat hij de tijd die geweest was: mama en Wadja, het benauwde hol bij Krulhaar, de hitte onder zijn voetzolen, het geroffel met de takken. Het was een ander leven geweest, het leven van een jonge beer die veel meemaakt. Nu was hij een volwassen beer en dit nieuwe leven van slapen en eten en spelen was meer dan genoeg voor hem...

Alles was goed. Zijn poot was weer goed en het voedsel was goed en de dunne dieren waren goed. Alleen was er de mist in zijn ogen, die nu zo dik was dat hij alleen nog maar kon zien wat vlak voor zijn poten kwam. Hij raakte eraan gewend.

Eénmaal nog droomde Igor van Krulhaar en Bruinhaar. Het geroffel klonk akelig echt. *Tarararam! Tarararam!* In paniek werd hij wakker. Een nare, boze droom. Hij keek angstig om zich heen. Ze waren er niet. Hij was in zijn hol in het bos, alleen. Hij was veilig. Toch kon hij het gevoel van gevaar niet meteen van zich afschudden.

Hij stond op en jankte als een wolf.

Twee stappen vooruit, twee stappen achteruit, telkens weer, tot hij er rustig van was geworden. Pas toen kon hij weer slapen.

De droom kwam niet terug.

Igor scharrelde rond tussen de bomen, niet ver van zijn hol. Een lijster was in de aarde naar wormen aan het spitten. Op een bloeiende struik zaten hommels en bijen en vlinders. De oude berin zat een eindje verderop op een knol te knabbelen. In de vijver waren twee andere beren aan het spelen. Bladeren verkleurden – de herfst kwam eraan.

Ineens... opwinding! Igor rook een geur die hem bekend voorkwam. Langhaar! Het was de geur van Langhaar.

Hij tuurde om zich heen, maar kon niet veel zien. Weer snoof hij. Was dit werkelijk de geur van Langhaar, of was het net als met die droom? Nee, hij vergiste zich niet.

Waar was ze? Zover hij kon kijken waren er geen dunne dieren te ontdekken. Toch moest ze er zijn, hij wist het zeker. Niemand rook zoals zij. En geuren vergat Igor nooit, zelfs al waren het geuren van toen hij een welp was.

Snuffelend begon hij rond te lopen, de kant van de vijver uit. De spelende beren keken niet naar hem op. Ze plonsden en spetterden. De geur werd zwakker. Verkeerde richting. Hij draaide zich om en liep terug. Ah, daar had hij het spoor weer te pakken. Hij rook Langhaar, en ook Beerhaar.

Er klonk gefluit. Beerhaar! Vlees! Igor hobbelde op het spinnenweb af.

Beerhaar had een bak met vlees in haar poot. De lucht daarvan verdrong al het andere. Vers vlees! Daar had Igor zin in. Ook de oude berin kwam op Beerhaar af; grauwend joeg Igor haar weg. Dat vlees was voor hém. Van een afstandje keek de berin toe, met ontzag voor de sterke jonge beer die Igor was.

Gulzig schrokte Igor een paar brokken op. Toen zag en rook hij dat Beerhaar niet alleen was. Vlak achter haar zat nóg een dun dier. Die geur... *Langhaar!* Zie je wel, daar was Langhaar! Meteen toen Igor haar had ontdekt, kwam ze naar voren en nam de bak met vlees over van Beerhaar.

Blij drukte Igor zich tegen het spinnenweb. Die klanken, die zoete klanken... Langhaar kroelde hem achter zijn oren, precies zoals vroeger, in het hol bij...

Krulhaar??? Was hij er ook? Even was die angst er weer. Igor deinsde terug en zoog diep de lucht op. Geen geur van Krulhaar, geen reden voor paniek. Alleen Langhaar en Beerhaar.

Langhaar stak een brok vlees door een gat in het web. Voorzichtig nam Igor het voedsel aan. Langhaar! Ze bleef zoete geluiden maken en hem brokjes vlees voeren. Beerhaar ging weg.

Igor schurkte zich tegen het web, knorde om Langhaar duidelijk te maken hoe blij hij was, wilde gelikt worden met de grijze tong. Maar dit keer was er geen grijze tong, er waren alleen de zachte, strelende voorpoten van Langhaar.

Igor sloot zijn ogen en genoot.

Toen, veel te snel nadat Igor haar had teruggevonden, liet Langhaar hem weer alleen. Ze stond op en verdween door een gat in de muur van het grote hol. Igor keek nog lang naar dat gat, maar ze kwam niet terug, ze was echt weg.

Na een diepe zucht, en nog een diepe zucht, slofte Igor kalmpjes bij het spinnenweb vandaan.

Nawoord

Wat Igor meemaakt in dit verhaal, gebeurt ook in werkelijkheid.

Een moederbeer wordt doodgeschoten, en haar welp gevangen om te worden afgericht als 'dansbeer'. Met een ring-met-ketting-eraan in zijn gevoelige neus en met stokslagen wordt de jonge beer in bedwang gehouden. Door die slagen op zijn kop en door slechte voeding loopt het dier het gevaar blind te worden.

De beer leert 'dansen' doordat hij wordt gedwongen op een gloeiende plaat te gaan staan, terwijl er iemand op een trommel roffelt. Dat 'dansen' is dus niets anders dan een wanhopige poging van het dier om aan de pijn te ontsnappen. Heeft hij dat een paar keer meegemaakt, dan weet hij zodra hij het tromgeroffel hoort dat de pijn weer zal komen. Dan is er geen gloeiende plaat meer nodig, maar alleen een trommel om de beer te laten 'dansen'. Zijn baas trekt met hem door steden en dorpen, de beer danst voor publiek en de baas haalt geld op. Kan de beer niet meer als dansbeer worden gebruikt, bijvoorbeeld als hij mank wordt zoals Igor, dan gebeurt het maar al te vaak dat hij gewoon aan zijn lot wordt overgelaten.

Er zijn 'dansberen' die het geluk hebben te worden ontdekt door de stichting *Alertis* – een organisatie die zich ontfermt over het lot van gevangengenomen bruine beren.

Wie een beer in nood ziet, kan dat melden aan Alertis. (Zo is de aan een boom vastgebonden Igor misschien wel gezien door Nederlandse vakantiegangers.) Als het ook maar enigszins mogelijk is, zal Alertis er dan alles aan doen om de beer te bevrijden en naar *Het Berenbos* in Ouwehands Dierenpark in Rhenen te brengen. Geen kooi meer, geen gloeiende plaat of tromgeroffel, maar een bos vol beren en wolven, *bijna* net zoals in de natuur...

Er wonen trouwens niet alleen dansberen in Het Beren-bos, maar ook beren die in een circus moesten optreden. Of beren waarvoor in de dierentuin waar ze eerst woonden geen plaats meer was. Of beren die in een kooi zaten en als huisdier werden gehouden. Ze zijn afkomstig uit allerlei delen van de wereld, maar vooral uit Midden- en Oost-Europa.

En als die beren eenmaal in Het Berenbos zijn aangeko-men, blijven ze daar voor de rest van hun leven en kunnen ze weer echt *beer* zijn.

Wil je meer weten? Kijk dan op www.alertis.nl Of breng een bezoek aan Ouwehands Dierenpark: www.ouwe-hand.nl

Beste lezer,

Dat wij bij Alertis houden van beren en Het Berenbos, zul je begrijpen. En toen Rindert Kromhout ons benaderde met de wens een boek te schrijven over een bijzondere beer, die uiteindelijk in Het Berenbos terecht zou komen, waren we beretrots! We hebben hem met veel plezier rondgeleid door Het Berenbos en Rindert heeft zelf van alles gelezen en bekeken over beren: boeken, internet, video's en vooral: échte beren. Het boek moest namelijk gaan over een échte beer. Dat sprak ons ontzettend aan.

Ik zal nooit vergeten dat ik het verhaal voor de eerste keer las. Ademloos heb ik het gelezen; diep ontroerd door Igor, zijn ervaringen, de manier waarop hij alles beleeft. De omgeving die hij niet begrijpt, de 'dunne dieren', de angst, de kunstjes die hij moet doen. Tijdens het lezen besefte ik opnieuw hoe belangrijk het is dat wij mensen ervoor zorgen dat beren worden beschermd. Dat ze gewoon beer kunnen zijn, en niet worden gebruikt in een circus of als dansbeer op straat.

Toen bleek dat er drie nieuwe beren naar Het Berenbos zouden komen, bedachten we dat we één van deze beren Igor zouden noemen. Zo zou de prachtige beer Igor uit dit boek ook echt voort kunnen leven in ons Berenbos. Een eer voor ons en, zo bleek uit de reactie van Rindert Kromhout, ook voor hem.

De drie nieuwste Berenbosberen, waaronder dus Igor, komen uit een dierentuin in Georgië, in Oost-Europa. Deze dierentuin moest haar deuren sluiten, omdat er geen geld meer was. Voor alle dieren werd een ander onderkomen gevonden, behalve voor de drie beren. Gelukkig was er plaats in Het Berenbos, want anders had de eigenaar ze laten inslapen.

Het transport naar Het Berenbos is zeer kostbaar en ook de verzorging van de beren kost natuurlijk geld. Daarom zijn we erg blij dat van ieder exemplaar dat van dit boek wordt verkocht een deel van de opbrengst naar Het Berenbos gaat. Zo vang je ook als lezer twee vliegen in één klap: je leest een prachtig boek en je steunt ook nog de beren!

Met vriendelijke groet,

Annette Visser
Alertis, Stichting voor beer- en natuurbescherming